Scooby-Doo
et l'horrible karatéka

Martin Rraye

D0376018

L'auteur

Quand il était petit, James Gelsey rentrait de l'école en courant
pour ne pas rater les épisodes de Scooby-Doo à la télévision.
Aujourd'hui, il les regarde avec sa femme et sa fille.
Il a même baptisé son chien Scooby
en hommage à son dessin animé favori.

James Gelsey

Scooby-Doo
et l'horrible karatéka

Traduit de l'américain
par Dominique Roussel
et adapté par Marie-Suzel Inzé

Titre original :
Scooby-Doo and the Karate Caper

Loi n° 49-956 du 16 juillet 1949
sur les publications destinées à la jeunesse : juillet 2005

© 2005, éditions Pocket Jeunesse, département d'Univers Poche,
pour la traduction française et la présente édition.
Dépôt légal : juillet 2005
Suite du premier tirage : février 2006
Imprimé en France par Pollina s.a. - n° L98650
ISBN 2-266-14781-1

1

La Mystery Machine roulait tranquillement.

– Toc, toc ! fit Sammy.

– Rtoc, rtoc ! aboya Scooby, assis à côté
de son ami.

Installés à l'avant, Fred, Daphné et Véra
se regardèrent sans comprendre.

– Qu'est-ce qu'il a dit ? demanda Véra.

– Toc, toc ! répéta Sammy.

Daphné haussa les épaules.

– Qui est là ? lança-t-elle.

– C'est "suiquiveut", fit Sammy.

– Suiquiveut quoi ?

– Suiquiveut une pizza ! Je crève de faim !

Sammy et Scooby éclatèrent de rire.

– Je me suis fait avoir, ce coup-là ! reconnut la jeune fille en souriant.

Sammy passa la tête par-dessus les sièges avant.

– Quand est-ce qu'on arrive chez Louis ?

– Roui, rand ? s'enquit à son tour Scooby.

– Vous voyez bien que nous y sommes presque ! répondit Véra. On dirait que vous n'avez jamais été à la Pizzeria Louis !

Sammy leva les yeux au ciel.

– Ça fait si longtemps qu'on a oublié…

Daphné éclata de rire.

– Tu plaisantes ! On y est allés il y a deux ou trois semaines !

– Mais peut-être que Louis nous a oubliés ? rétorqua Sammy.

Fred leva les sourcils et jeta un coup

d'œil dans son rétro.

– Ce serait étonnant, vous êtes ses meilleurs clients !

Fred gara la Mystery Machine le long du trottoir. La petite bande descendit de voiture et commença à marcher vers la pizzeria.

– Mais peut-être que ça a fermé depuis que nous sommes venus… insista Sammy. Ce serait terrible ! Comment on ferait pour avoir notre pizza spéciale : ananas-champignons-chocolat ?

Véra tapa sur l'épaule de Sammy.

– Tu sais, Sammy, la Pizzeria Louis est à la même adresse depuis plus de quarante ans. Il y a peu de chances qu'elle déménage !

Soudain, Fred s'arrêta devant un magasin fermé.

– Tu as parlé un peu vite, Véra. Regarde !

Et il désigna l'annonce scotchée sur la vitre du magasin.

– « Prochainement, ouverture de la Pizzeria Louis », lut Daphné.

– Tu entends ça, Scooby ? murmura Sammy. Il va y avoir une nouvelle Pizzeria Louis ! J'espère qu'elle sera aussi bonne que la nôtre !

– Sam, reprit Véra, j'ai bien peur qu'il ne s'agisse pas d'un nouveau restaurant. C'est notre Pizzeria Louis habituelle qui va traverser la rue et s'installer dans ce vieux bâtiment.

Daphné examina l'affichette.

– Véra a raison ! Le conseil municipal se réunit ce soir pour prendre une décision quant au déménagement.

– Mais pourquoi Louis déménagerait ? demanda Sammy. C'est bien, chez lui !

– Je ne vois qu'un moyen de le savoir, affirma Fred.

Sur ces mots, le jeune homme et ses amis traversèrent la rue en direction de la pizzeria. Près de la porte d'entrée, un délicat fumet de pizza leur chatouilla les narines, et Scooby poussa un grand cri de plaisir.

– Raaouff !

– Double portion pour moi, déclara Sammy. D'acc, Scoob ?

– N'oubliez pas, vous deux ! prévint Fred. En général, il y a foule. À coup sûr, on ne sera pas servis tout de suite…

– Pas de problème, Fred, lança Sammy. En attendant notre tour, nous nous contenterons de l'odeur !

La petite bande pénétra dans le restaurant mais s'arrêta net. La pizzeria était totalement vide.

– Mince alors ! s'écria Véra.

– Raille, s'exclama Scooby.

– Il y a quelqu'un ? appela Daphné.

Fred s'avança. Sur le mur du fond, la carte d'Italie était barbouillée de peinture.

– ATTENTION À LA MALÉDICTION DE KY-YA ! lut Fred.

– Moi, je n'ai plus du tout faim ! lâcha Sammy.

– Roi rnon rplus !

– On file, mon vieux !

Mais avant que les deux amis aient pu faire demi-tour, un cri terrifiant leur perça les tympans.

2

Qui est là ? fit alors une voix.
Les amis se retournèrent : Louis
Spaghetti, le tablier taché de sauce
tomate, venait de sortir de la cuisine.
– Ah ! mais ce sont mes clients pré-
férés ! lança-t-il. C'est sympa de voir
des figures amies.
– Salut, Louis ! dit Fred.
– Ben, où sont passés vos clients ?
demanda Sammy.
Daphné lui jeta un regard sévère.
– Sammy !
– Il a raison ! reconnut Louis. Plus

personne ne vient ici… En voyant cette inscription, les clients s'enfuient en courant.

– Qui a bien pu faire ça ? interrogea Fred.

Louis lâcha un gros soupir.

– Je ne sais pas…

– Vous n'avez qu'à passer un coup de peinture sur ces gribouillages ! suggéra Véra.

– J'ai bien essayé, affirma Louis. Plusieurs fois, même ! Mais les lettres ont été faites avec une peinture spéciale ineffaçable !

Il baissa la tête.

– Et quand les mots ne suffisent pas, les cris font fuir les clients…

Daphné sursauta.

– Comme celui qu'on a entendu en arrivant ?

Louis hocha la tête.

– Une école de karaté vient d'ouvrir juste à côté. Et les karatékas poussent ce genre de hurlement quand ils coupent des bûches en deux avec leur main ! Résultat : plus personne ne veut manger ici ! J'ai essayé de mettre la musique très fort, mais les clients rouspètent car ils ne peuvent plus discuter !

– C'est pour cette raison que vous voulez déménager ? questionna Véra.

– Oui, acquiesça Louis. Là-bas, j'échapperai aux cris et aux malédictions.

Sammy leva la main.

– Et qu'est-ce que c'est, la malédiction de Ky-Ya ?

– Il y a plusieurs siècles, fit une voix, Ky-Ya fut un très grand guerrier.

Tout le monde se retourna : un garçon habillé en karatéka venait d'entrer dans la pizzeria. Il portait une ceinture noire et un dragon rouge était cousu sur son kimono.

– Que voulez-vous encore ? marmonna Louis.

– Mais une pizza, c'est tout !

Louis rentra dans sa cuisine en grommelant. Alors le nouveau venu se tourna vers Fred et lui tendit la main.

– Je m'appelle Sensei Sid ! Je suis professeur à l'école de karaté.

Fred lui serra la main et lui présenta le reste de la bande.

Sid se leva alors sur la pointe des pieds pour voir si Louis revenait. Puis il passa derrière le comptoir, se servit une part de pizza, et reprit son histoire.

– La légende raconte que Ky-Ya détestait se battre, commença Sensei entre deux bouchées. Mais un beau jour, des envahisseurs menacèrent d'attaquer sa ville. Pour se défendre, Ky-Ya inventa le karaté et l'enseigna aux habitants. Quand les ennemis arrivèrent, Ky-Ya et ses élèves remportèrent la bataille, sans armes et sans verser une goutte de sang. Alors les envahisseurs disparurent à tout jamais de la surface de la terre !

– Très bien, et pourquoi cette malédiction ? demanda Véra.

Sid engouffra le reste de sa pizza.

– Cela veut dire que quiconque déplaira à Ki-Ya ou à son esprit s'attirera de graves ennuis…

– Ce n'est pas très sympa, ça ! murmura Daphné.

– En plus, je n'aime pas ces cris ! intervint Sammy.

Sid prit une autre part de pizza.

– Ne croyez pas tout ce que raconte Louis. On ne crie pas tant que ça, dans le club de karaté de Sensei Sid. D'ailleurs, si j'arrive à mes fins, personne n'aura plus à se plaindre du bruit…

– Que voulez-vous dire par là ? questionna Fred.

– Ce soir, je vais au conseil municipal. Je désire leur accord pour acheter la boutique d'en face. Notre ville n'a pas besoin d'une plus grande pizzeria, elle a besoin d'une plus grande salle de karaté ! Jetez donc un coup d'œil là-dessus, j'ai dessiné les plans.

Sensei Sid sortit une feuille de papier de sa poche et la déplia d'une seule main. Pendant ce temps-là, Scooby et Sammy ne quittaient pas des yeux la part de pizza du jeune homme.

Sid admira son plan pendant un bon moment, puis il le remit dans sa poche.

– Oui, croyez-moi, le karaté est ce qu'il y a de mieux pour le corps et pour l'esprit !

– KYYYYYYYYYYYYY-YAAAAAAAAAAAA ! hurla soudain une voix.

À cet instant, une main jaillit et enleva la part de pizza de la main de Sid.

– Quoi, que voulez-vous… bredouilla le karatéka.

– Sidney Sallahan ! s'écria une voix de femme. Tu devrais avoir honte !

3

Sensei Sid se retourna. En face de lui, en position d'attaque, se tenait une femme aux cheveux gris. Elle portait un tablier blanc et un chignon très serré où étaient plantés deux stylos billes.

– Vous avez gardé le style, madame Flibber ! admira Sid.

– Merci, répliqua la femme, j'ai eu un bon professeur !

Véra observait la nouvelle venue avec attention.

– Mme Flibber, c'est vous qui avez

sauté par-dessus le comptoir ?

La dame acquies-ça et tendit la part de pizza à Sammy. Le jeune homme ouvrit aussitôt la bouche, mais Scooby attrapa la pizza avec sa grande langue.

– Louis ne supporte pas Sid, pour-suivit Mme Flibber. Il m'a envoyée le surveiller.

Elle saisit alors son carnet puis retira un de ses stylos de son chignon.

– Nous disions donc deux parts de pizza… Cela nous fait trois dollars, Sidney ! Et que je ne te reprenne pas à te servir sans avoir commandé !

Sid rougit et sortit de l'argent de sa poche.

– Voilà, madame Flibber !

– Quoi, pas de pourboire ? demanda-t-elle. Tu n'es pas généreux…

– Si : je vais vous donner un conseil ! répondit Sid. Écartez un peu plus les jambes quand vous retombez sur vos pieds !

Puis le jeune homme sortit du restaurant en souriant. La porte claqua puis se rouvrit toute seule. Mme Flibber alla la refermer sous les regards étonnés des jeunes gens.

– Je sais ce que vous vous dites… fit-elle en revenant. " Mais comment une vieille femme comme ça peut se remuer aussi vite ? " C'est ça ?

– C'est vrai, reconnut Daphné. Ça fait des années que nous venons ici, mais nous ne savions pas que vous faisiez du karaté !

Mme Flibber éclata de rire.

– Mon Dieu, il y a des tas de choses que vous ignorez sur moi…

– Oui, sûrement, reconnut Fred. Comment se fait-il que vous connaissiez si bien Sensei Sid ?

– Quand Sidney était petit, j'étais sa nounou ! Nous regardions ensemble des films de kung-fu, et ensuite nous essayions d'imiter les acteurs. Plus tard, quand Sidney a commencé à donner des cours de karaté, il m'a invitée à les suivre. Le karaté permet de conserver sa souplesse. Malheureusement, j'aurai bientôt plus de temps que je n'en voudrais pour m'entraîner.

Daphné fit un sourire timide à Mme Flibber.

– Parce que plus personne ne vient au restaurant ?

– Oui, et aussi parce que Louis me mettra à la porte lorsqu'il déménagera. Il y a trois jours, je l'ai entendu discuter au téléphone. Il disait que quand il changerait de boutique, il n'aurait plus besoin de la "vieille".

– C'est trop triste, reprit Daphné, je n'arrive pas à imaginer cet endroit sans vous !

Mme Flibber plongea alors sa main dans sa poche et en sortit un papier.

– J'essaie de trouver une solution pour qu'on reste ici. Regardez, j'ai même dessiné des plans pour agrandir le restaurant et l'insonoriser.

Les pas de Louis se firent entendre. Aussitôt, Mme Flibber remit le plan dans sa poche.

– Le karatéka est parti ? s'étonna Louis.

– Oui, il y a juste une minute, répondit Fred.

– Tant mieux, le simple fait de le voir me retourne l'estomac !

– À propos d'estomac, intervint Sammy en se frottant le ventre, il nous faudrait des Scooby Snax et une grande assiette de pâtes…

Louis eut un petit sourire.

– Heureusement que mes amis sont là pour me rappeler mes devoirs ! Je reviens tout de suite !

Et il disparut dans sa cuisine.

– Asseyez-vous ! dit Mme Flibber. Je vais vous préparer une table.

Les jeunes gens s'assirent, mais à cet instant une rafale de vent ouvrit brusquement la porte d'entrée.

– Rouaf ! aboya Scooby.

– Détends-toi, Scoob, ce n'est que la porte ! expliqua Sammy.

Mais une autre rafale survint, qui ouvrit et referma violemment la porte trois fois de suite.

– Mince alors ! s'écria Sammy.
Et il plongea sous la table.

– J'en ai marre de cette porte, lança
Mme Flibber. Louis, je file chez le
quincaillier acheter une nouvelle
serrure !

4

Louis apporta des pizzas et des spaghettis puis il accrocha une nappe devant le mur qui portait la malédiction.

– Je vois que vous n'avez pas encore réparé cette porte… fit une voix.

Les jeunes gens levèrent les yeux. Une grande femme vêtue d'un pull rouge et d'un pantalon noir venait d'entrer dans la pizzeria. Des feuilles de papier dépassaient de la poche de son pantalon.

Louis fronça les sourcils.

– Ne vous occupez pas de ma porte, madame. Qu'est-ce que je peux faire pour vous ?

– Je voudrais un sandwich tomate-mozzarella.

Louis lui tourna le dos et retourna dans sa cuisine.

– Et soyez gentil, Louis, poursuivit la femme. Mettez-moi du basilic frais cette fois-ci…

Véra se tourna vers la nouvelle venue.

– Alors, comment marche la librairie, madame Fleurdépi ?

– Très bien, Véra ! dit Brenda Fleurdépi. Dis-moi, ça fait un bon bout de temps que je ne t'ai pas vue chez moi ?

– Je passe très souvent à la bibliothèque, répondit Véra.

– Comme tout le monde… grommela Brenda.

Et elle s'installa à côté de Fred.

– Ça ne vous ennuie pas si je m'assieds

avec vous ? Je meurs d'envie de montrer mon projet à quelqu'un !

Elle poussa les assiettes de Scooby et de Sammy, sortit les papiers de sa poche et les déplia sur la table.

– Dites-moi, qu'est-ce que vous pensez de ça ?

– C'est quoi au juste ? interrogea Daphné.

– On dirait un plan ! dit Véra. Laissez-moi deviner, ça ne serait pas pour la boutique d'en face par hasard ?

– Mais… comment tu peux le savoir, Véra ?

Fred éclata de rire.

– Il semble que vous soyez nombreux à convoiter ce magasin !

– Je sais, rétorqua Brenda, mais je suis la seule qui puisse obtenir l'accord du conseil municipal ! Qui voterait pour une pizzeria ou pour un club de karaté quand il peut voter pour une librairie ?

Sammy se pencha vers Scooby.

– Moi, je voterais plutôt pour une pizza et des spaghettis… Et les deux amis rapprochèrent leurs assiettes.

– Fais attention, Sammy chéri, dit Brenda, tu ne voudrais quand même pas mettre de la sauce tomate sur mes plans ?

– Non, je voudrais simplement m'en mettre plein la bouche !

À ce moment-là, Louis apporta le sandwich de Brenda.

– Brenda, arrêtez un peu d'ennuyer

mes clients et de leur mettre des idées idiotes dans la tête ! Vous ne trouverez personne qui votera pour la librairie ou le club de karaté. Le maire m'a déjà annoncé que le conseil municipal était de mon côté. La réunion de ce soir rendra sa décision officielle.

Brenda replia ses papiers en souriant.

– Mais il faudra bien qu'ils changent d'avis, Louis. Par exemple si vous décidez vous-même de ne plus déménager…

– Pour quelle raison je ne voudrais plus déménager ? répondit Louis.

Brenda haussa les épaules et se dirigea vers la porte.

– Et votre sandwich, vous n'avez plus faim ?

– Je vais le manger en marchant ! À plus tard, Louis !

Brenda prit l'assiette et quitta le restaurant.

– Vous savez que c'est mon assiette que vous emportez ? cria Louis.

Ah ! Il y a des fois où je me dis que je n'aurais jamais dû ouvrir ce restaurant !

Scooby et Sam s'arrêtèrent de mâcher et dévisagèrent Louis.

– Ne dites jamais des choses pareilles, Louis ! déclara Sammy.

– Je suis désolé, les enfants, je ne voulais pas vous choquer. Quand vous aurez fini de manger, vous pourriez peut-être aller en ville me faire un peu de publicité ? Ce serait super si le restaurant était plein !

– D'accord, promit le jeune homme, on s'en charge !

Un peu plus tard, dans le restaurant vide, Louis pétrissait tranquillement sa pâte à pizza. De leur côté, Fred, Véra et Daphné pliaient les menus et arrangeaient les nappes.

– C'est gentil de m'aider ! commença Louis. Je me demande ce que fabrique Mme Flibber… Elle n'a pas l'habitude de s'absenter aussi longtemps.

– Mais ça nous fait plaisir de vous aider, Louis ! répliqua Daphné.

Soudain Véra abandonna son travail.

– Vous entendez ce bruit ?

– On dirait une fanfare qui défile, suggéra Fred.

La porte d'entrée s'ouvrit à la volée et toute une troupe, conduite par Sammy et Scooby, entra au pas cadencé. Scooby donnait le rythme en tapant sur une grosse caisse.

– Voilà, Louis, claironna le jeune homme. Ton restaurant est plein !

– Mille mercis, les enfants, mais quand je vous ai dit de faire de la publi-

cité, je ne pensais pas que vous le feriez en musique !

– Bravo, vous deux ! félicita Véra. Comment avez-vous fait ?

– Rien de plus facile, expliqua Sammy. On a emprunté la grosse caisse à la boutique d'instruments de musique puis on a traversé la ville en criant…

– … « Rizza rgratuites ! » ron ra rdit, poursuivit Scooby.

Louis ouvrit des yeux ronds comme des soucoupes.

– Pizzas… gratuites… répéta-t-il.

– Sammy, tu es fou ou quoi ? gronda Daphné. Louis ne peut pas inviter toute la ville à manger !

– Ne t'inquiète pas, Daphné, murmura Louis. Je vais offrir à tous ces gens une part de pizza gratuite. Comme ça, certains auront peut-être envie d'en commander une entière…

– On va vous donner un coup de main, puisque Mme Flibber n'est toujours pas là, proposa Daphné.

Sam était très intéressé.

– Oui ! reprit-il. Scooby et moi, on va vous aider à faire les pizzas !

Mais à cet instant un cri déchirant emplit la salle.

– K Y Y Y Y Y Y-YAAAAAAA !

Quelque chose ou quelqu'un vola à travers les airs et vint se planter sur le comptoir.

– Au secours ! hurla Sammy.

La créature portait un kimono noir, des bottes, des gants et un masque noir. Ses yeux rouges luisaient sous son masque.

– Je suis Ky-Ya le maudit !

Le karatéka sauta derrière le comptoir et attrapa une pizza qui sortait du four. Ensuite il plaça la plaque à pizza sur le comptoir et la fit tourner sur elle-même à toute vitesse. Puis, de ses mains plus rapides que l'éclair, il coupa la pizza en petites parts. Quand la plaque s'arrêta de tourner, la pizza était découpée.

– K Y Y Y Y Y Y Y Y Y Y Y Y Y Y Y-YAAAAAAAAAAAAAAA, hurla l'inconnu. Ce restaurant doit rester ici ! S'il déménage, tous les clients seront maudits pour l'éternité !

Puis le karatéka se mit en position d'attaque et se frotta les paumes. Il leva ensuite une main et l'abattit sur une table. La table se coupa en deux !

L'inconnu éclata d'un rire strident, sauta en l'air et sortit. Aussitôt, tous les clients se levèrent de table.

– Ne partez pas ! cria Louis. Ce n'était qu'une petite démonstration de karaté offerte par l'un des profs du club d'à côté. Restez : vous aurez droit à des pizzas gratuites, et même des raviolis, si vous voulez !

Malheureusement, tous les clients se précipitèrent vers la sortie.

– Louis, dit l'un des clients en partant, je vais suggérer au conseil municipal de voter contre votre projet. Vous devez rester ici !

Louis contempla sa salle vide.

– Je ne peux pas me battre contre ce karatéka… Regardez ce qu'il a fait à cette table !

Fred posa sa main sur l'épaule de son ami.

– Écoutez, occupez-vous de votre restaurant, nous on prend en charge cette histoire de karatéka ! D'accord ?

6

Par quoi on commence ? questionna Daphné.

– Par une pizza et des raviolis ! lâcha Sammy. Scooby et moi, on déteste jouer aux détectives l'estomac vide !

– Vous deux, rétorqua Véra, vous détestez toujours faire quoi que ce soit ! Seulement, si vous voulez que Louis garde son restaurant, il vaudrait mieux que vous nous donniez un coup de main !

Louis s'en alla vers sa cuisine.

– Louis, où allez-vous ? interrogea Fred.

– À mon bureau ! Je vais préparer une lettre pour annuler ma demande de déménagement, on ne sait jamais…

Et il ferma la porte à clé derrière lui.

– Si on veut résoudre ce problème avant ce soir, annonça Fred, on ferait bien de se dépêcher. Séparons-nous !

– Bonne idée ! approuva Véra. Sam, Scooby et moi, nous allons fouiller par ici.

– Pendant ce temps-là, continua Daphné, Fred et moi, nous irons examiner les alentours. Peut-être que ce karatéka a laissé des indices !

Fred hocha la tête.

– Retrouvons-nous ici le plus tôt possible ! Bonne chance à tous !

Fred et Daphné sortirent du restaurant en fermant avec soin la porte derrière eux.

– Dites donc, quel désordre ! fit Véra.

– Pour réussir à casser une table d'un seul coup, marmonna Sammy, ce type doit avoir des mains plutôt tranchantes !

– Non, Sammy, il n'a pas des mains tranchantes, mais des gestes super-rapides. Tu sais, le karaté est un art martial, il ne doit pas servir à faire peur aux gens. Mais voyons un peu ce qui traîne ici…

Véra se dirigea vers la porte et regarda en l'air.

– Notre karatéka a sauté jusqu'au comptoir puis il est passé derrière pour découper la pizza. Ensuite il est allé dans ce coin-ci pour casser la table en deux. Vous deux, regardez tout autour du comptoir ; moi, je passe entre les tables !

Scooby se mit alors à flairer le plancher et Sammy explora le comptoir. Mais Scooby flaira de plus en plus haut et Sammy explora de plus en plus bas. Alors, au bout d'un moment, les nez des deux amis se rencontrèrent.

– Dis-moi, Scoob, murmura Sammy, est-ce que tu penses la même chose que moi ?

Scooby sourit et remua la queue.

– Roui !

– Ne faites pas de bêtises, vous deux ! menaça Véra. Nous cherchons des renseignements, ne l'oubliez pas.

– Mais bien sûr, Véra ! protesta Sammy.

Véra se pencha près de la table cassée et ramassa une feuille de papier froissé.

– Regardez, j'ai trouvé quelque chose ! Un indice !

Personne ne répondit.

– Sam ? Scoob ? continua la jeune fille.

Les deux amis discutaient derrière le comptoir.

– Tu la préfères aux anchois ou aux champignons ? demanda Sammy.

– Je croyais vous avoir dit de ne pas faire de bêtises !

– Qu'est-ce que tu crois ? On cherche des traces.

– Bon… admit Véra. Moi, je vais montrer à Fred et Daphné ce que j'ai trouvé.

Et elle sortit de la pizzeria.

– Tu es prêt ? s'enquit Sammy.

– R'prêt ! aboya Scooby.

Les deux amis prirent alors chacun une boule de pâte et la lancèrent en l'air. Mais les boules retombèrent sur le comptoir dans un énorme nuage de farine.

– Notre technique n'est pas encore au point, fit Sammy en toussant.

Ils se mirent à souffler partout pour se débarrasser de la farine, mais, soudain, des pas se firent entendre dans la cuisine.

– Pardon… Louis, bredouilla Sammy.

On va tout t'expliquer…
Il ne put rien dire de plus.
– KYYYYYY-YAAAAAA !

7

Une fois le nuage de farine dissipé, Sammy et Scooby se retrouvèrent nez à nez avec le karatéka masqué.

– Rwaouf ! aboya Scooby.

– Filons d'ici ! hurla Sammy.

Les deux compères donnèrent un grand coup de pied dans la porte de la pizzeria et sortirent vite fait.

Ils hurlèrent d'une seule et même voix.

– Au secours ! Le karatéka nous poursuit !

Aussitôt, Fred, Daphné et Véra arrivèrent de différentes directions pour venir en aide à leurs amis.

– Du calme, Sammy, dit Daphné. Expliquez-nous… Le karatéka est revenu au restaurant ?

– Ru ras rdit ! répondit Scooby.

Le chien prit alors la pose du karatéka et fendit l'air de sa patte.

– Rkyyy-ryaaa !

– OK, Scoob', on a compris ! l'arrêta Fred.

Sammy et Scooby repartirent en courant de l'autre côté et se cognèrent alors dans Mme Flibber. Sous le choc, la femme recula et laissa tomber son sac qui contenait la nouvelle serrure.

– Oh ! mes chéris !

– Nous sommes désolés, Mme Flibber, mais le karatéka nous court après !

– Quel karatéka ?

– Ky-Ya, soupirèrent Fred et Daphné.

Fred se baissa pour ramasser le sac de Mme Flibber.

– Il y a quelques minutes, reprit le jeune homme, le spectre de Ky-Ya est venu au restaurant et a fait une scène épouvantable !

– Vous verrez, il a tout cassé, ajouta Daphné. Maintenant, nous essayons de percer le mystère.

– Parfait, parfait… jeta Mme Flibber. Bon ! Je vais voir si Louis va bien et aussi réparer cette porte. Bonne chance, les amis !

Et elle entra dans le restaurant.

– C'est étrange… murmura Fred. Mme Flibber n'a pas peur !

– Sans doute parce qu'elle ne s'est jamais trouvée nez à nez avec ce type et ses mains tranchantes ! bredouilla Sammy.

– À propos, commença Véra, regardez ce que j'ai trouvé dans la salle du restaurant.

Elle montra à Fred et à Daphné le

papier qu'elle avait ramassé.

– Et voici ce que Daphné et moi avons trouvé sur le trottoir, enchaîna Fred. C'est le programme de la réunion du conseil municipal avec la mention « Accord pour le déménagement de la Pizzeria Louis » entourée au stylo !

– Ce sont de vrais indices, commenta Daphné, mais il y a quelque chose que je ne comprends pas… Des gens ont vu ce karatéka sortir de la pizzeria et s'éloigner. Comment a-t-il pu revenir aussi vite et sans que personne ne le voie ?

Véra fronça les sourcils.

– Il est peut-être passé par la porte de derrière. Quand je suis arrivée dans la rue pour vous retrouver, j'ai vu une bande de jeunes qui entraient au club de karaté. Je suis allée jeter un coup d'œil et j'ai découvert une allée derrière le bâtiment.

– Je parie qu'elle débouche de l'autre côté, termina Fred.

– C'est sûr ! renchérit Daphné. Le karatéka est sorti par la porte de devant et est revenu par celle du fond. Allons voir si c'est bien ça !

La petite bande descendit la rue. Un peu plus loin, juste après la librairie de Brenda, ils trouvèrent la fameuse allée. Elle les conduisit directement à la porte de service du restaurant. Ils inspectèrent les alentours et, là, Scooby se mit à renifler partout.

– OK ! dit Sammy, c'est bien la porte de la pizzeria. Et ça nous avance à quoi ?

– À rien ! avoua Fred. Que des sacs de farine vides et des caisses cassées !

– Ret res rlivres ! aboya Scooby.

– Où vois-tu des livres, Scoob ? demanda Véra.

Scooby désigna un livre coincé sous les sacs de farine. Daphné se pencha et le ramassa. Il était recouvert de farine.

– C'est un manuel pour débutant…
affirma Véra en soufflant sur le livre.
– Pour débutant en quoi ? s'enquit
Fred.
– En karaté ! Et ce livre est tout neuf !
Un grand sourire apparut sur le
visage du jeune homme.
– Vous savez ce que ça veut dire, les
amis ? Ça veut dire que c'est l'heure
de tendre un piège au karatéka !

8

Il ne nous reste pas beaucoup de temps, déclara Daphné. Le conseil municipal se réunit bientôt.

– Je sais… répondit Fred. Il faut donc qu'on se débrouille pour que ce karatéka revienne chez Louis une dernière fois.

– Dans ce cas, suggéra Véra, faisons savoir partout que Louis a bien l'intention de déménager. Si on mettait une grande affiche sur la vitrine ?

– Très bonne idée, Véra ! admit Fred. Mais ça ne suffira pas.

Le jeune homme se tourna alors vers Scooby.

– Nous allons avoir besoin de toi, Scooby.

– Ro Ray ! aboya Scooby.

– Tu seras récompensé avec une super pizza ananas-champignons-chocolat, décréta Daphné.

Scooby commençait à se lécher les babines quand Sammy se pencha à l'oreille de son ami.

– Tu te souviens du terrible karatéka et de ses mains tranchantes ?

– R… oulala… hésita Scooby.

Et il se mit à trembler.

– Et si on disait une pizza ananas-champignons-chocolat tout à l'heure, mais, tout de suite, un Scooby Snax ? tenta Daphné.

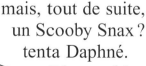

– R'accord ! Daphné lança le goûter en l'air.

51

Scooby l'attrapa avec adresse puis l'avala tout rond. Après quoi, il s'essuya les babines avec sa grande langue rose.

– Bien, dit Fred, voici comment nous allons opérer. Daphné, Véra et Scooby, vous allez rentrer dans le restaurant et coller l'affiche sur la vitre. Précisez bien que le grand chef Scoobino arrive d'Italie exprès pour l'ouverture du nouveau restaurant.

– Mais c'est qui, ce grand chef Scoobino ? interrogea Sammy.

Fred éclata de rire et désigna Scooby.

– Il est devant toi ! Scooby, tu t'installes derrière le comptoir et tu fais semblant d'être le chef.

– Rmais rje ruis rpas run rchef !

– J'ai dit : tu fais semblant ! Pendant ce temps-là, Sam et moi, nous nous cachons derrière la nappe que Louis a accrochée pour cacher la malédiction. Quand le karatéka arrive, toi, Scooby, tu fais en sorte d'attirer son attention, et Sam et moi, on l'enveloppe dans la nappe ! D'accord ?

– Ro Ray !

Fred se tourna vers Sammy.

– Je vais prévenir Louis. En attendant, tu aides Scooby à se préparer.

Fred, Véra et Daphné rentrèrent dans la pizzeria tandis que Sammy et Scooby se dirigeaient vers la cuisine. Là, Sammy trouva un tablier qu'il noua autour de la taille de Scooby. Puis il prit des spaghettis dans une casserole et les colla sous le museau de son ami pour lui faire une longue moustache blanche. Enfin, il découvrit une grande toque de chef cuisinier et la posa sur la tête du chien.

– Vous êtes prêts, vous deux ? cria Fred depuis la salle du restaurant.

– On arrive ! répondit Sammy.

Et les deux amis firent leur entrée dans la salle.

– Je vous présente le chef Scoobino ! fit Sammy. Bonne chance, mon vieux !

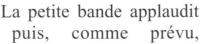

La petite bande applaudit puis, comme prévu, Scooby s'installa derrière le comptoir tandis que Sam et Fred se cachaient sous la nappe. Véra et Daphné accrochèrent sur la vitre l'affichette qui annonçait la venue du Chef Scoobino et disparurent dans la cuisine.

En attendant le karatéka, Scooby essaya de se préparer une pizza. Il pétrit une boule de pâte entre ses pattes, l'étira, la lança en l'air. Flop ! Elle lui retomba pile sur la tête !

– Rah ah ah ah ! rigola-t-il.

– KYYYYYY– YAAAAAA ! hurla quelqu'un à cet instant.

Une explosion énorme, et la porte de la pizzeria s'ouvrit avec lenteur.

Le mystérieux karatéka bondit dans le restaurant. Quand il aperçut Scooby

tremblant de toutes ses pattes, il se mit
à siffler de rage.

– Que la malédiction de Ky-Ya soit
sur toi pour toujours, Chef Scoobino !
– Rouille ! hurla Scooby.

Et il plongea derrière le comptoir.

L'inconnu s'approcha et leva sa main
gantée de noir pour frapper. Mais
soudain un bruit se fit entendre dans
le fond du restaurant et le karatéka se
précipita vers la nappe accrochée au
mur.

– Personne ne peut tromper Ki-Ya !

Avant d'avoir compris ce qui se pas-
sait, Fred et Sammy se retrouvèrent
ligotés.

– Véra avait raison, bredouilla Sammy.
Il est super rapide !

Le karatéka se dirigea vers le comptoir, mais Scooby avait disparu.

– Rar rici ! claironna une voix derrière lui.

L'inconnu masqué se retourna d'un coup et sursauta. Debout sur une table, Scooby le narguait ! Le karatéka bondit et retomba à l'autre bout de la table. Le chien décolla alors dans les airs et atterrit derrière le comptoir.

L'inconnu le suivit aussitôt mais il se prit le pied dans la toque de Scooby et s'écroula par terre. Scooby voulut s'enfuir et, sans le faire exprès, fit tomber un sac de farine sur son ennemi. Le karatéka resta au sol, noyé sous la farine.

9

Louis arriva alors par la porte de derrière, suivi de Daphné et de Véra. Les trois amis détachèrent Fred et Sammy et vérifièrent que Scooby allait bien. Puis Louis et Fred remirent le karatéka sur ses pieds. Avec sa tenue devenue toute blanche, il ressemblait à un fantôme !

– Louis, affirma Fred, c'est le moment de découvrir qui se cache derrière ce masque !

Louis s'approcha et arracha le masque

qui cachait le visage du karatéka.

– Mais c'est Brenda Fleurdépi ! Vous vouliez donc me ruiner !

– C'est bien elle que nous suspections, s'écria Véra.

– Mais comment avez-vous pu deviner ?

Daphné prit la parole.

– Cela n'a pas été facile car il y avait beaucoup de suspects !

– Le premier indice nous a aidés à trouver les suspects, déclara Véra. Il s'agissait du plan du nouveau local et de celui d'ici.

– Sensei Sid, Brenda, et même Mme Flibber étaient concernés, poursuivit Fred. Tous avaient de bonnes raisons pour que la pizzeria reste là.

Daphné montra alors le programme de la réunion du conseil municipal.

– Ce deuxième indice nous a permis de mieux comprendre, expliqua la jeune fille. Vous voyez, le déménagement est entouré au stylo ! Ce qui prouve bien que le karatéka était intéressé par cette partie de la réunion.

– C'était vrai pour Brenda, reprit Fred, mais aussi pour Sid. Tous les deux nous avaient dit qu'ils voulaient que le conseil municipal vote contre vous, Louis.

– Mais ce n'est qu'avec le dernier indice que nous avons su la vérité, intervint Véra. L'inconnu masqué était revenu par la porte de derrière pour faire peur à Scooby et à Sam. Donc nous avons été voir cette porte, et là nous avons trouvé… ceci !

Véra montra alors le livre de karaté.

– « Les coups du karaté ! Du tout début jusqu'à la ceinture noire, en dix leçons », lut Louis à haute voix. Mais c'est une méthode de karaté !

– Ni Sid ni Mme Flibber n'ont besoin d'un livre de karaté ! remarqua Daphné. De plus, c'est un livre tout neuf ! Et un livre neuf, ça se trouve en général dans une librairie…

Louis regarda Brenda Fleurdépi avec sévérité.

– Brenda, mais pourquoi vous nous avez fait tous ces ennuis ?

– Il fallait que j'agrandisse ma librairie très vite, répondit la jeune femme. Depuis que la ville a réorganisé la bibliothèque, je n'ai plus de clients. Il y a tout ce qu'ils veulent, là-bas ! Tout, sauf ce que moi j'allais leur proposer dans ma nouvelle boutique : des boissons, des glaces, et pourquoi pas ? des pizzas ! J'avais de grands projets et j'aurais réussi si ces maudits garnements et leur stupide chien ne s'étaient pas mis en travers de ma route !

Mme Flibber arriva à cet instant, suivie de deux policiers.

– J'ai entendu tant de vacarme que j'ai appelé la police. Tout va bien ?

– Oui, mais uniquement grâce à mes amis ! confia Louis.

Les deux policiers emmenèrent aussitôt Brenda hors du restaurant.

– Je comprends bien pour Sid et Brenda, mais vous, Mme Flibber ? demanda Louis.

– C'est simple, Louis ! expliqua Mme Flibber. Il y a peu de temps, je vous ai entendu dire au téléphone qu'après le déménagement vous vous débarrasseriez de « la vieille » ! C'était clair, non ?

Louis réfléchit un instant puis éclata de rire.

– Mais je parlais de ma vieille installation, Mme Flibber, pas de vous ! Bien sûr que j'aurai besoin de vous dans mon nouveau restaurant, et plus que jamais !

Mme Flibber baissa la tête.

– J'ai peut-être jugé trop vite…

– Coucou, Louis, toutes mes félicitations ! dit alors Sensei Sid qui venait d'arriver. Le conseil municipal vient de se terminer. C'est vous qui héritez du magasin ! Deuxième bonne nouvelle : j'ai la permission d'abattre le mur qui nous sépare. Je vais pouvoir agrandir mon club !

Un grand sourire apparut sur le visage de Louis.

– Alors, nous sommes gagnants tous les deux !

– Félicitations ! s'écria Daphné.

– Merci, Daphné, mais c'est surtout Scooby qu'il faut féliciter, affirma Louis. C'est lui, le véritable héros ! Comment pourrais-je le remercier ?

Sammy prit alors la parole.

– Avec une pizza ananas-champignons-chocolat, comme on avait dit ?

– J'ai une meilleure idée… murmura Louis. Attendez deux minutes !

Il disparut dans la cuisine et revint avec un énorme sandwich.

– Pour récompenser un héros exceptionnel, il fallait un sandwich exceptionnel ! Je vous présente donc la dernière création de la Pizzeria Louis : le SCOOBY-DOO, le sandwich des héros !

Scooby regarda un instant l'immense sandwich en se léchant les babines. Puis il s'avança et en prit une énorme bouchée.

– Scoobyyyyyyy-Doooo !

Dans la même collection :

SCOOBY-DOO!

1. Scooby-Doo et le château hanté
2. Scooby-Doo et la malédiction de la momie
3. Scooby-Doo et le fantôme du pirate
4. Scooby-Doo et la vengeance du vampire
5. Scooby-Doo et le Magicien masqué
6. Scooby-Doo et le pilote fantôme
7. Scooby-Doo et l'homme des neiges
8. Scooby-Doo et le fantôme hip-hop
9. Scooby-Doo et le monstre
du parc d'attractions
10. Scooby-Doo et le stade hanté
11. Scooby-Doo et l'épouvantail
12. Scooby-Doo et l'homme des cavernes
13. Scooby-Doo et le trésor du zombie
14. Scooby-Doo et le gorille fantôme
15. Scooby-Doo et l'horrible karatéka
16. Scooby-Doo et le rodéo de l'angoisse
17. Scooby-Doo et la diseuse
de bonne aventure
18. Scooby-Doo et le monstre Frankenstein